# 邓小平手迹选

中央档案馆 编

二
题 字

Collection of Deng Xiaoping's Original Handwriting

中国档案出版社

大象出版社

书名题字：江泽民

# 出 版 说 明

　　为了纪念邓小平同志诞辰一百周年,我们编辑出版了这部《邓小平手迹选》。

　　半个多世纪以来,邓小平同志起草了大量文件、电报、文稿,亲自批阅了无数的公文,写下了许多书信、题词。我们从浩瀚的档案资料中,精选出邓小平同志从一九二六年至一九九二年间的珍贵手迹296件,汇编成这部选集。多数手迹系首次公开发表。

　　本书按题词、题字、书信、文电、批示、提纲分类,各类手迹按书写时间顺序编排。为便于读者阅读,所选邓小平手迹均附有释文。原文中的错字,释文订正用〔 〕标明,漏字增补用〈 〉标明,衍字用﹝ ﹞标明,个别地方作了必要的注释。有些手迹没有注明年代,经过考证,在目录和释文中标明;有些手迹有年无月的,放在该年后面;有的手迹有月无日的,放在该月后面;时间不详的,放在该类后面;有的按内容放在相近的时期里。

中央档案馆

二〇〇四年一月

# 题 字

释　文

# 题 字

朱德同志故居
纪念馆

董必武传记

李白故里

刘少奇同志故居

特级英雄黄继光

邓小平题

海上世界

邓小平题

一九八〇年一月廿六日

西柏坡纪念馆

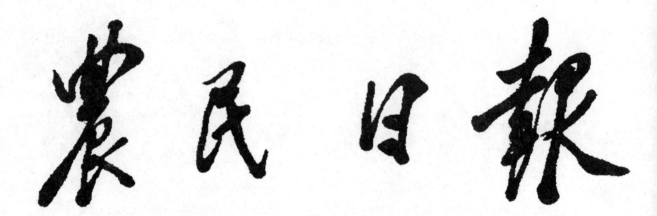

农民日报

中國科學技術館奠基

周恩来

同志故居

中国革命博物馆

淮海战役史

凉雏電話

古柏烈士纪念碑

# 國際商報

文苑

瞿秋白同志纪念館

四川大学

林伯渠同志故居

中國國際展覽中心

民族英雄杨靖宇烈士纪念碑

吴焕先烈士纪念碑

了若飞传

于右任先生书法

红军飞夺泸定桥纪念碑

邓小平题

回顾長征

回憶張聞天

毛泽覃同志纪念碑

孙中山先生画册

毛泽东诗词选

贺龙故居

中國人民抗日戰争紀念館

陳毅故居

叶剑英传略

张太雷故居

汕頭大學

刘伯承同志纪念馆

瑞金第一中学

中国工艺美术馆

渡江胜利纪念馆

宗庆龄伟大光荣的一生

井冈山根据地博物馆

军事

欧美同学会会刊

中国国际广播电台

伟大的战略决战

淮海战役

李时珍纪念馆

药物馆

党的文献

缅怀刘少奇

周恩来纪念馆

周恩来传

宋氏祖居

国家信息中心

子長陵

国防知识系列丛书

中国体育报

中國兒童少年活動中心

白求恩医科大学

中國經濟体制改革十年

李伯钊文集

中国南极中山站

永恒之日

新中國外交四十年

邓小平题

中国妇女四十年

所题赵革命活动
七十年大事记

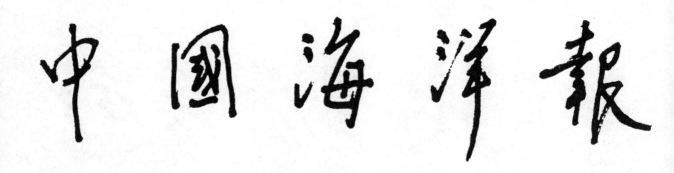

西藏自治区档案馆

中国财政四十年

邓小平 一九八九年十二月

万众欢腾

周恩来外交文选

百團大戰

基本法的诞生

焦祐禄

毛泽东选集

希望工程

新疆经济报

武漢機場

刘少奇论党的建设

钱学森

南京路上好八连

中國乡镇企业

罗荣桓传

刘少奇手迹选

刘伯承传

怀念陈毅

贺龙传

邓颖超修

杨浦大桥

# 释 文

# 题 字

**为朱德故居纪念馆题名**
（一九八二年五月二十五日）
　　朱德同志故居纪念馆

**为《董必武传记》一书题名**
（一九八二年六月八日）
　　董必武传记

**为李白故里题名**
（一九八二年六月八日）
　　李白故里

**为刘少奇故居题名**
（一九八二年十二月三日）
　　刘少奇同志故居

**为黄继光纪念馆题名**
（一九八二年）
　　特级英雄黄继光

　　　　　　　　　　　　　　　　　　　　　　　　　邓小平题

**为蛇口明华轮旅游中心海上世界题名**
（一九八四年一月二十六日）
　　海上世界

　　　　　　　　　　　　　　　　　　　　　　　　　邓小平题
　　　　　　　　　　　　　　　　　　　　一九八四年一月廿六日

**为西柏坡纪念馆题名**
（一九八四年八月三十一日）
　　西柏坡纪念馆

**为《农民日报》题名**

（一九八四年十月三十一日）
　　农民日报


**为中国科学技术馆奠基题字**
　　（一九八四年十一月）
　　中国科学技术馆奠基


**为周恩来故居题名**
　　（一九八四年）
　　周恩来同志故居


**为中国革命博物馆题名**
　　（一九八四年）
　　中国革命博物馆


**为《淮海战役史》一书题名**
　　（一九八四年）
　　淮海战役史


**为凉滩电站题名**
　　（一九八四年）
　　凉滩电站


**为古柏烈士纪念碑题名**
　　（一九八四年）
　　古柏烈士纪念碑


**为《国际商报》题名**
　　（一九八四年）
　　国际商报


**为《傅作义生平》一书题名**
　　（一九八四年）
　　傅作义生平

为《文苑》杂志题名

（一九八四年）

文苑

为瞿秋白纪念馆题名

（一九八五年二月二十五日）

瞿秋白同志纪念馆

为四川大学题名

（一九八五年四月二十七日）

四川大学

为林伯渠故居题名

（一九八五年六月）

林伯渠同志故居

为中国国际展览中心题名

（一九八五年八月）

中国国际展览中心

为杨靖宇烈士纪念碑题名

（一九八五年九月二十五日）

民族英雄杨靖宇烈士纪念碑

为吴焕先烈士纪念碑题名

（一九八五年九月二十五日）

吴焕先烈士纪念碑

为《王若飞传》一书题名

（一九八五年十一月二十日）

王若飞传

为《于右任先生书法》一书题名

（一九八五年十一月二十日）

于右任先生书法

**为红军飞夺泸定桥纪念碑题名**

（一九八五年）

红军飞夺泸定桥纪念碑

邓小平题

**为《回顾长征》一书题名**

（一九八五年）

回顾长征

**为《回忆张闻天》一书题名**

（一九八五年）

回忆张闻天

**为毛泽覃纪念碑题名**

（一九八六年四月二十六日）

毛泽覃同志纪念碑

**为《孙中山先生画册》一书题名**

（一九八六年五月十三日）

孙中山先生画册

**为《毛泽东诗词选》一书题名**

（一九八六年七月九日）

毛泽东诗词选

**为贺龙故居题名**

（一九八六年七月九日）

贺龙故居

**为中国人民抗日战争纪念馆题名**

（一九八六年七月九日）

中国人民抗日战争纪念馆

**为梅兰芳纪念馆题名**

（一九八六年七月九日）

梅兰芳纪念馆

## 为陈毅故居题名

（一九八六年九月九日）

陈毅故居

## 为《叶剑英传略》一书题名

（一九八六年九月九日）

叶剑英传略

## 为张太雷故居题名

（一九八六年九月九日）

张太雷故居

## 为汕头大学题名

（一九八六年九月九日）

汕头大学

## 为刘伯承纪念馆题名

（一九八六年十一月二十六日）

刘伯承同志纪念馆

## 为瑞金第一中学题名

（一九八六年十一月二十六日）

瑞金第一中学

## 为中国工艺美术馆题名

（一九八七年二月十二日）

中国工艺美术馆

## 为渡江胜利纪念馆题名

（一九八七年二月十二日）

渡江胜利纪念馆

## 为《宋庆龄伟大光荣的一生》一书题名

（一九八七年二月十三日）

宋庆龄伟大光荣的一生

## 为井冈山根据地军事博物馆题名

（一九八七年五月十四日）

井冈山根据地军事博物馆

## 为《欧美同学会会刊》题名

（一九八七年五月三十日）

欧美同学会会刊

## 为中国国际广播电台创建四十周年题名

（一九八七年七月八日）

中国国际广播电台

## 为影片《伟大的战略决战》、《淮海战役》题名

（一九八七年七月八日）

伟大的战略决战

淮海战役

## 为李时珍纪念馆、药物馆题名

（一九八七年七月八日）

李时珍纪念馆

药物馆

## 为《党的文献》杂志题名

（一九八七年十一月二十八日）

党的文献

## 为《缅怀刘少奇》一书题名

（一九八八年一月二十二日）

缅怀刘少奇

## 为周恩来纪念馆题名

（一九八八年一月二十二日）

周恩来纪念馆

**为《周恩来传》一书题名**

（一九八八年一月二十二日）

周恩来传

**为宋庆龄祖居题名**

（一九八八年一月二十二日）

宋氏祖居

**为《党建》杂志题名**

（一九八八年一月二十二日）

党建

**为国家信息中心题名**

（一九八八年一月二十二日）

国家信息中心

**为天津站建站一百周年题名**

（一九八八年三月二十二日）

天津站

**为《中国老年报》题名**

（一九八八年三月二十二日）

中国老年报

**为《求是》杂志题名**

（一九八八年五月十一日）

求是

**为谢子长陵题名**

（一九八八年五月十一日）

子长陵

**为《国防知识系列丛书》题名**

（一九八八年五月十一日）

国防知识系列丛书

### 为《中国之友》杂志题名

（一九八八年五月十一日）

中国之友

### 为《中国体育报》题名

（一九八八年五月十一日）

中国体育报

### 为中国儿童少年活动中心题名

（一九八八年五月十一日）

中国儿童少年活动中心

### 为中国矿业大学题名

（一九八八年五月十一日）

中国矿业大学

### 为白求恩医科大学校庆五十周年题名

（一九八八年七月十三日）

白求恩医科大学

### 为《中国监察》杂志题名

（一九八八年七月十三日）

中国监察

### 为《中国经济体制改革十年》一书题名

（一九八八年九月六日）

中国经济体制改革十年

### 为《中国人口报》题名

（一九八八年九月六日）

中国人口报

### 为《李伯钊文集》一书题名

（一九八八年九月六日）

李伯钊文集

**为中国南极中山站题名**

（一九八八年十一月二日）

中国南极中山站


**为《永恒之日》画册题名**

（一九八八年十一月二日）

永恒之日


**为《新中国外交四十年》画册题名**

（一九八九年四月十二日）

新中国外交四十年

邓小平题


**为《中国妇女四十年》画册题名**

（一九八九年四月十二日）

中国妇女四十年


**为《蔡畅传》一书题名**

（一九八九年七月十四日）

蔡畅传


**为《邓颖超革命活动七十年大事记》一书题名**

（一九八九年七月十四日）

邓颖超革命活动七十年大事记


**为《中国海洋报》题名**

（一九八九年九月二十六日）

中国海洋报


**为西藏自治区档案馆题名**

（一九八九年十二月六日）

西藏自治区档案馆


**为《中国财政四十年》画册题名**

（一九八九年十二月六日）

中国财政四十年

邓小平
一九八九年十二月

**为《万众欢腾》画册题名**

（一九八九年十二月六日）

万众欢腾

**为《周恩来外交文选》一书题名**

（一九九〇年二月二十七日）

周恩来外交文选

**为《百团大战》一书题名**

（一九九〇年二月二十七日）

百团大战

**为《基本法的诞生》一书题名**

（一九九〇年四月十一日）

基本法的诞生

**为《焦裕禄》一书题名**

（一九九〇年六月十五日）

焦裕禄

**为《毛泽东选集》一书第二版题名**

（一九九〇年九月五日）

毛泽东选集

**为共青团中央等单位发起的希望工程题名**

（一九九〇年九月五日）

希望工程

**为《新疆经济报》题名**

（一九九〇年九月五日）

新疆经济报

**为武汉机场题名**

（一九九〇年十二月七日）

　　武汉机场

## 为《刘少奇论党的建设》一书题名

（一九九一年三月四日）

　　刘少奇论党的建设

## 为《钱学森》一书题名

（一九九一年三月四日）

　　钱学森

## 为《南京路上好八连》一书题名

（一九九一年三月四日）

　　南京路上好八连

## 为《中国乡镇企业》一书题名

（一九九一年三月四日）

　　中国乡镇企业

## 为《亚运在北京》一书题名

（一九九一年三月四日）

　　亚运在北京

## 为《罗荣桓传》一书题名

（一九九一年四月二十三日）

　　罗荣桓传

## 为《王震将军》一书题名

（一九九一年四月二十三日）

　　王震将军

## 为《刘少奇手迹选》一书题名

（一九九一年九月十二日）

　　刘少奇手迹选

## 为《刘伯承传》一书题名

（一九九一年九月十二日）

刘伯承传

## 为《怀念陈毅》一书题名

（一九九一年九月十二日）

怀念陈毅

## 为《彭德怀传》一书题名

（一九九一年九月十二日）

彭德怀传

## 为《贺龙传》一书题名

（一九九一年九月十二日）

贺龙传

## 为《徐向前传》一书题名

（一九九一年九月十二日）

徐向前传

## 为《聂荣臻传》一书题名

（一九九一年九月十二日）

聂荣臻传

## 为《毛泽东军事文集》一书题名

（一九九二年六月二日）

毛泽东军事文集

## 为《朱德传》一书题名

（一九九二年六月二日）

朱德传

## 为《邓颖超传》一书题名

（一九九二年六月二日）

邓颖超传

## 为上海杨浦大桥题名

（一九九二年六月二日）

杨浦大桥